First published in 2003 by Uitgeverij Clavis, Amsterdam - Hasselt
First dual language publication in 2004 by Mantra Lingua

A CIP record for this book is available from the British Library.

Published by Mantra Lingua
5 Alexandra Grove, London N12 8NU
www.mantralingua.com

Los amigos de Floppy

Floppy's Friends

Guido van Genechten

Spanish translation by Maria Helena Thomas

mantra

Todos los días, después del colegio,
Floppy salía a jugar con sus amigos.
Los amigos de Floppy eran de varios
colores y tamaños pero…

Every day, after school,
Floppy went out to play
with his friends.
Floppy's friends were all
sizes and colours but…

…solo juegan con los conejitos
que son iguales a ellos.

they only ever played with the rabbits
who looked like them.

"Quisiera que jugáramos todos juntos" -pensaba Floppy.

"I wish we could all play together," thought Floppy.

Primero, Floppy jugó 'Balancea la zanahoria' con los conejitos blancos.

First Floppy ran to play don't-drop-the-carrot with the white rabbits.

A Floppy no se le cayó la zanahoria,
ni cuando saltaba en una pierna.

Floppy didn't drop the carrot once,
not even when he hopped on one leg.

Luego, Floppy jugó 'Soy una cometa' con los conejitos grises. "¡Arriba, arriba y vuela!" –cantaba Floppy. "Pero cuidado con el aterrizaje."

Next Floppy played fly-a-kite with the grey rabbits.
"Up, up and away!" chanted Floppy. "But watch your landing."

Luego Floppy jugó ‘Salto de rana’ con los conejitos marrones.
“¡Salta arriba y por encima!” –cantaba Floppy

Then Floppy played leapfrog with the brown rabbits.
“Jump up and jump over!” chanted Floppy.

Finalmente Floppy jugó a
tren con los conejitos negros.
"¿Puedo ser el maquinista?"
–preguntó Floppy.
"Vale" –dijeron los conejitos negros,
porque recordaban que la última vez que
Floppy fue en el medio causó un choque remendo.

Finally Floppy played trains with the black rabbits.
"Can I be the driver?" asked Floppy.
"Ok," said the black rabbits. They remembered the last time Floppy
was in the middle of the train, he caused the most enormous crash!

La tarde siguiente, bajo un árbol, había un conejito muy solo.
No era blanco y no era gris. No era marrón y no era negro.
Era de manchas marrones y blancas.
Observaba a los conejitos divirtiéndose y deseaba jugar con ellos.
Pero era nuevo, no conocía a nadie y no se sabía los juegos.

The next afternoon under a tree stood a lonely little rabbit.
He wasn't white and he wasn't grey. He wasn't brown and he wasn't black.
He was dappled brown and white.
He watched all the rabbits having fun and wished that he could join in.
But being new he didn't know anybody and he didn't know their games.

Cuando Floppy lo vio, fue a saludarlo.
"Hola, soy Floppy. ¿Cómo te llamas?" -le preguntó.
"Samy" -dijo el conejito manchado.
"Ven a jugar" -dijo Floppy.
"Pero no me sé esos juegos" -dijo Samy.
"No te preocupes, te los enseño" -dijo Floppy.

When Floppy saw the new rabbit he went over to him. "Hi, I'm Floppy. What's your name?" he asked. "Samy," said the dappled rabbit. "Come and play," said Floppy. "But I don't know how to play your games," said Samy. "Don't worry. I'll show you," said Floppy.

Floppy le enseñó a Samy a jugar 'Balancea la zanahoria'.
Floppy se puso la zanahoria en la cabeza y salió corriendo.
"Fantástico," -dijo Samy.

Floppy showed Samy don't-drop-the-carrot.
Floppy put the carrot on his head and off he went.
"Cool," said Samy.

Y entonces fue el turno de Samy,
quien se puso la zanahoria en la cabeza.
"¿Ves? ¡Es muy fácil!" -dijo Floppy.

Then it was Samy's turn. He put the carrot on his head.
"See, it's easy!" said Floppy.

"Yo me sé un juego buenísimo," -dijo Samy. "Brinca, para y silba."
"¿Cómo se juega?" –preguntó Floppy.
"Se brinca, se para y se silba: FIUU!"
"¡Fantástico!" –rió Floppy.

"I know a really cool game," said Samy. "Skip-stop-whistle."
"How d'you play that?" asked Floppy.
"You skip, stop and whistle: Wheeee!"
"Cool!" laughed Floppy.

Los otros conejos vinieron a ver lo que estaba pasando.
"Éste es Samy," -dijo Floppy.
"¿Samy?" –se rió un conejo de los grandes.
"Debería de llamarse Manchitas."
Y se rieron todos, excepto
Floppy y Samy.

The other rabbits came to see what was going on.
"This is Samy," said Floppy.
"Samy," giggled a big rabbit. "He should be called Spotty."
They all laughed, all except Floppy and Samy.

"¡Manchitas! ¡Manchitas! ¡Sa-my es un manchitas!" –cantaron los otros conejos.

"Spotty! Spotty! Sa-my is spo-tty!" the other rabbits chanted.

"¡Basta!" –gritó Floppy.
"Samy se sabe un juego buenísimo."
"Ah, sí, ¿qué juego?"

"Stop it!" shouted Floppy.
"Samy knows a really cool game."
"Oh yeah! What's that?"

"Cometa zanahoria salto de rana en el
tren con rinca, para y silba."
"¿Y eso cómo se juega?"
–preguntó el conejo grande.

"Fly-a-carrot-kite-leapfrog-on-the-train
with a skip, stop and whistle."
"How d'you play that then?"
asked the big rabbit.

"Bien," -dijo Floppy. "Te pones una zanahoria en la cabeza, vuelas la cometa, haces el salto de rana en el tren, saltas, paras y silbas: ¡FIUU!"
Todos los conejos jugaron el fantástico juego de Samy.

"Well," said Floppy. "You put a carrot on your head, fly-a-kite, leapfrog-on-the-train, skip, stop and whistle: WHEEEE!"
All the rabbits joined in Samy's cool game.

¡Y todos los amigos de Floppy jugaron juntos!

And ALL Floppy's friends played together!